Lanfeust de Troy

TOME 1 ~ L'IVOIRE DU MAGOHAMOTH

SCÉNARIO
CHRISTOPHE ARLESTON

DESSIN
DIDIER TARQUIN

COULEURS
YVES LENCOT

SOLEIL

TROY EST UN MONDE SURPRENANT ; GRÂCE AUX SAGES D'ECKMÜL QUI, JUSQU'AU FOND DE CHAQUE VILLAGE, RELAIENT LA FORCE DE LA MAGIE, CHAQUE INDIVIDU POSSÈDE UN, ET UN SEUL POUVOIR. CELUI-CI PEUT-ÊTRE ANODIN OU UTILE, RIDICULE OU REDOUTABLE.

LANFEUST PEUT D'UN REGARD FAIRE FONDRE LE MÉTAL. IL EST DONC DEVENU FORGERON. MAIS SA VIE EST BOULEVERSÉE DEPUIS LE JOUR OÙ IL A DÉCOUVERT QU'AU CONTACT D'UNE CERTAINE ÉPÉE À POMMEAU D'IVOIRE, IL PEUT POSSÉDER **TOUS** LES POUVOIRS, C'EST À DIRE **LE POUVOIR ABSOLU**. C'EST UN FAIT UNIQUE DANS L'HISTOIRE DE TROY.

CIXI ET **C'IAN** SONT LES DEUX FILLES DE NICOLÈDE. LA BRUNE CIXI EST UNE CHIPIE PROVOCANTE, DONT LE POUVOIR EST DE TRANSFORMER L'EAU EN GLACE OU EN VAPEUR. LA BLONDE ET DOUCE C'IAN, FIANCÉE DE LANFEUST PEUT GUÉRIR TOUTES LES BLESSURES UNE FOIS LA NUIT TOMBÉE.

MAÎTRE NICOLÈDE EST LE SAGE DU VILLAGE DONT LANFEUST EST ORIGINAIRE. IL A DÉCOUVERT QUE L'IVOIRE CONFÉRANT LE POUVOIR ABSOLU DE LANFEUST PROVIENT D'UN ANIMAL MYTHIQUE, LE MAGOHAMOTH. IL A DONC CONDUIT LANFEUST À ECKMÜL, LA CAPITALE, AFIN QUE LES ÉRUDITS, GARDIENS DE LA MAGIE, PUISSENT ÉTUDIER SON CAS.

HÉBUS EST UN REDOUTABLE TROLL, CRÉATURE SAUVAGE ET IMPITOYABLE HANTANT LES FORÊTS. MAIS LES ENCHANTEMENTS DE MAÎTRE NICOLÈDE ONT TRANSFORMÉ LA BÊTE FÉROCE EN UN JOYEUX COMPAGNON DONT LA FORCE EST APPRÉCIABLE. CEPENDANT CES ENCHANTEMENTS SONT PROVISOIRES, ET PEUVENT ÊTRE ROMPUS...

LE CHEVALIER OR-AZUR VIENT DES BARONNIES, UNE LOINTAINE PRESQU'ÎLE QUI REFUSE LA MAGIE ET OÙ LES CHÂTEAUX MÈNENT LES UNS CONTRE LES AUTRES DE PERPÉTUELLES GUERRES D'HONNEUR. IL POSSÈDE L'ÉPÉE AU CONTACT DE LAQUELLE LANFEUST DEVIENT L'HOMME LE PLUS PUISSANT DE TROY.

THANOS LE PIRATE AURAIT PU ÊTRE UN PUISSANT ÉRUDIT, MAIS IL A TRAHI ECKMÜL. IL POSSÈDE LE DON DE SE TÉLÉPORTER AUX ENDROITS QU'IL A DÉJÀ EU L'OCCASION DE VOIR ET DE MÉMORISER ET, COMME LANFEUST, À QUI IL S'OPPOSE, IL EST SENSIBLE AU POUVOIR DU MAGOHAMOTH.

3

KLANG KLUN !

PSSHH !

VOILÀ...

TRÈS BIEN, FILE TE DÉBARBOUILLER, TU ES SALE À FAIRE FUIR UN PÉTAURE !

DANS CHAQUE VILLAGE, UN HOMME DOTÉ DE FACULTÉS MENTALES EXCEPTIONNELLES MAINTIENT LE CHAMP PERMETTANT À CHACUN D'UTILISER SON POUVOIR MAGIQUE. C'EST UN SAGE D'ECKMÜL, ET IL EST TOUJOURS FORT RESPECTÉ.

FROT FROT

CETTE FOIS-CI, J'OSE.

MAIS AUX YEUX DE LANFEUST, LA PRINCIPALE QUALITÉ DU SAGE NICOLÈDE ÉTAIT D'AVOIR DEUX FILLES AUSSI BELLES ET SEMBLABLES DE VISAGE, QUE DIFFÉRENTES DE CARACTÈRE.

LA BLONDE C'IAN N'ÉTAIT QUE DOUCEUR ET GENTILLESSE...

JE VAIS DEMANDER À C'IAN DE FAIRE UN TOUR AVEC MOI JUSQU'AU BORD DE LA RIVIÈRE...

YAHOO !

...MAIS LA BRUNE CIXI PRÉFÉRAIT AGUICHER LES GARÇONS ET LEUR JOUER DE MAUVAIS TOURS

SALUT LANFEUST !

EUH... BONJOUR CIXI.

PLOF

LE POUVOIR DE CIXI CONSISTAIT À TRANSFORMER L'EAU EN VAPEUR OU EN GLACE...

TU SEMBLES BIEN JOYEUX...

ÇA NE TE REGARDE PAS !!

AH ?! TRÈS BIEN !!

EH! QU'EST CE QUE TU FAIS ?

IL Y A TROP D'EAU DANS CE BAQUET, ON VA EN VAPORISER UN PETIT PEU.

... ET ELLE METTAIT UN POINT D'HONNEUR À L'UTILISER DE FAÇON DÉSAGRÉABLE POUR SON ENTOURAGE.

CIXI ! N'ENLÈVE PAS TOUT, JE SUIS TOUT NU LÀ DEDANS !

HI HI ! EN EFFÉT...

...TU AS L'AIR CONTENT DE ME VOIR.

UN PEU DE FRAÎCHEUR CALMERA TES AFFLUX SANGUINS.

HI! HI! HI!

POC POC

TU ME PAIERAS ÇA, SALE TEIGNE!

TU ES AUSSI LAIDE QU'UNE CRAWASSE ENGROSSÉE !!

HA! HA! HA!

POC POC POC

SI TU AS FINI DE JOUER, LANFEUST, J'AURAIS ENCORE BESOIN DE TOI.

MAIS VOUS M'AVIEZ DIT...

UN CHEVALIER VENU DES BARONNIES HABILLE-TOI VITE.

CÉLÈBRES SUR TOUS LES CONTINENTS DE TROY POUR LEURS JEUX GUERRIERS ET LEUR ATTACHEMENT AUX TRADITIONS, LES 77 BARONS D'HEDULIE REFUSENT L'EMPRISE D'ECKMÜL ET LA PRATIQUE DE LA MAGIE.

JE LUTTAIS CONTRE UN TROLL...

SI JE RATE MON RENDEZ-VOUS AVEC C'IAN...

LA CRÉATURE FAISAIT DE TERRIBLES MOULINETS AVEC SA LOURDE MASSE D'ARMES...

ZAM! VLAN!

FBOOM! MAIS MON ÉPÉE VINT HEURTER SES DENTS, ET ELLE SE BRISA NET.

IL EST DE NOTORIÉTÉ PUBLIQUE QUE LES TROLLS ONT UNE EXCELLENTE DENTITION.

LA BÊTE RÉPUGNANTE SE PRÉPARAIT À ME DÉVORER...

LORSQUE JE DÉCIDAI DE FUIR.

VOILÀ POURQUOI J'AIMERAIS QUE VOUS ME RÉPARIEZ CETTE ÉPÉE.

BRAVES GENS.

C'EST L'AFFAIRE DE QUELQUES MINUTES, CHEVALIER OR AZUR. LANFEUST VA S'EN CHARGER.

EN ATTENDANT, JE VOUS FERAI GOÛTER UN VIN VERT ET FRAIS DE NOTRE VILLAGE, ET VOUS M'ENCHANTEREZ DU RÉCIT DE VOS EXPLOITS.

VOLONTIERS.

FROT FROT

6

GNA GNA GNA, LANFEUST VA FAIRE CI, GNA GNA GNA, LANFEUST VA FAIRE ÇA!

BON, PLUS VITE CE SERA TERMINÉ...

ÉH!

ÇA CHAUFFE TOUT SEUL!

SCRRZZRZZDZ

BLOB BLOUG

VLASHHH!

MAÎTRE GRAMBLOT ! MAÎTRE GRAMBLOT ! C'EST AFFREUX !!

QUE SE PASSE-T-IL ?

C'EST LANFEUST, IL ...

IL VIENT DE TOMBER DANS LA CUVE DE MÉTAL EN FUSION !

PF... PFF... PFF... PF...

QUOI !

QUELLE MORT HORRIBLE !

J'ESPÈRE QUE MON ÉPÉE N'EST PAS PERDUE !

GLOUPS !

ÉCARTEZ-VOUS ! PLACE ! PLACE !

JE...

JE SUIS DÉSOLÉ !!

MAIS... TU N'ES PAS BRÛLÉ?

BEIN NON... JE NE COMPRENDS PAS!

LANFEUST!

OH LANFEUST! TU N'AS RIEN! ON M'A DIT...

J'AI EU SI PEUR!

C'IAN?!

OUCH!

C'EST LORSQUE J'AI PRIS CETTE LAME EN MAIN QUE...

POURTANT...

BLOUB

BLOP

VOYONS...

WHAOUWAAAOUUUU!!!!

BLOP

HA! HA! HA!

SLURP

FEFFEZ DE RIRE BÊTEMENT ET RETOURNEZ AU TRAFAIL!

IMBÉFILES!

FORGERON, TOUT CECI EST DIVERTISSANT, MAIS QUAND MON ÉPÉE SERA-T-ELLE PRÊTE?

PLUS TARD CHEVALIER OR AZUR. NOUS AVONS UNE ÉNIGME À RÉSOUDRE.

SOUF!

SOUF!

QUELLE ÉNIGME?

VOUS TROUVEZ NORMAL QU'UN MORVEUX PLONGE DANS DU MÉTAL ARDENT ET NE SE BRÛLE POINT?

VOUS ÊTES GENS DE MAGIE, CES CHOSES VOUS SONT SANS DOUTE FAMILIÈRES.

LE DON DE LANFEUST N'EST PAS DE NAGER DANS LES VOLCANS. NOUS DEVONS CONSULTER LE SAGE NICOLÈDE.

MAIS...

MAÎTRE GRAMBLOT A RAISON. PÈRE TE CONSEILLERA DE FAÇON AVISÉE.

MON ÉPÉE...

ÉH ! MON ÉPÉE !!

À L'IMAGE DE NICOLÈDE, LES SAGES D'ECKMÜL SONT LE PLUS SOUVENT DES HOMMES SIMPLES ET BONS. LEUR POUVOIR EST D'ÊTRE LE RELAIS PERMETTANT, SUR UN TERRITOIRE DONNÉ, À LA MAGIE D'EXISTER. LOIN D'UN SAGE, LES POUVOIRS DISPARAISSENT.

ÉTRANGE AFFAIRE...

AU CONTACT DE CETTE LAME, TU AURAIS DONC ACQUIS UN SECOND POUVOIR ?

CELUI DE TE PROTÉGER DU FEU ?

ON DIRAIT,

MHMHMH...

LA CUVE ÉTAIT-ELLE RÉELLEMENT CHAUDE ?

AB-SO-LU-MENT !

GARANTI !

8

DANS CE CAS, L'ÉPÉE DU CHEVALIER DOIT POSSÉDER QUELQUE PROPRIÉTÉ QUI...

FADAISES ET CALEMBREDAINES!

CETTE FIÈRE LAME EST DANS MA FAMILLE DEPUIS L'AUBE DU MONDE, ET SON SEUL POUVOIR EST DE TRANCHER LES BRAS ET FENDRE LES CRÂNES!

UN INSTANT.

?

LANFEUST, REPRENDS-LA.

JE.... VOUS CROYEZ QUE...

MILLE GRIMOIRES ÉCORNÉS!

LE POUVOIR!

LE POUVOIR PLÉNIER! ABSOLU! TOTAL! EXHAUSTIF!

JE L'AI SENTI!

FOUTREDIEU, IL FALLAIT QUE ÇA TOMBE SUR MOI!

IL A ATTRAPÉ QUELQUE CHOSE DE GRAVE, PÈRE?

VOUS SAURIEZ ME SOIGNER NICOLÈDE?

JE N'ENTENDS RIEN À VOS AFFAIRES, ET JE SOUHAITE RÉCUPÉRER MON BIEN!

FORGERON, NE VOUS AVAIS-JE POINT COMMANDÉ UN OUVRAGE?

MMH?

BIEN SÛR, JE VAIS LA RÉPARER, MAIS...

L'IVOIRE!!

BIEN SÛR! L'IVOIRE!

CHEVALIER, DE QUEL ANIMAL PROVIENT L'IVOIRE DE CE POMMEAU?

À VRAI DIRE, CETTE LAME A PLUSIEURS SIÈCLES ET...

L'IVOIRE DU MAGOHAMOTH! L'ANIMAL FABULEUX! LA SOURCE DE MAGIE!

ALMISUIFRE, MON FIDÈLE ASSISTANT! C'EST MERVEILLEUX!

GIGUE TOURNE VOLE ET DANSE!

PÈRE! NE VOUS EXCITEZ PAS DE LA SORTE! PENSEZ À VOTRE SANTÉ!

MAIS VOUS NE COMPRENEZ DONC PAS?!?

BEIN... NON?!

GRAT GRAT

CE MORCEAU D'IVOIRE VIENT DU MAGOHAMOTH, L'ANIMAL DONT LA FORCE PSYCHIQUE CRÉE LE CHAMP DE MAGIE SUR TROY, ET DONT NOUS, LES SAGES D'ECKMÜL, NE SOMMES QUE LES RELAIS.

NUL NE SAIT OÙ IL VIT, SA RECHERCHE EST UNE QUÊTE QUE BIEN DES HOMMES ONT ENTREPRISE EN VAIN.

10

QUEL RAPPORT AVEC MOI ?

LANFEUST, LE CONTACT AVEC L'IVOIRE DU MAGOHAMOTH A TRANSFORMÉ TA CAPACITÉ DE FUSION DES MÉTAUX EN UN POUVOIR TOTAL ; J'AI SENTI SA FORCE.

VOUS VOULEZ DIRE... LE POUVOIR D'AVOIR TOUS LES POUVOIRS, MAÎTRE NICOLÈDE ?

ABSOLUMENT.

ALORS JE PEUX FAIRE TOUT CE QUE JE VEUX ?

VOLER AVEC LES OISEAUX ?

TRANSFORMER LA SOUPE EN RÔTI ?

VOIR À TRAVERS LES TISSUS ?

BAF !

DISONS QUE TOUT CECI DOIT ÊTRE EXAMINÉ PLUS ATTENTIVEMENT.

HÉLAS, JE NE SUIS QU'UN PETIT SAGE DE CAMPAGNE, ET MES CONNAISSANCES SONT LIMITÉES...

LANFEUST, JE DOIS TE CONDUIRE DEVANT LES ÉRUDITS DU CONSERVATOIRE D'ECKMÜL.

CHEVALIER, POUVONS-NOUS CONSERVER CETTE ÉPÉE ?

CERTAINEMENT PAS !!

MA LAME ET MOI REPRENDRONS LA ROUTE DÈS QU'UN CERTAIN FORGERON AURA ENFIN ACCOMPLI SON TRAVAIL.

CROYEZ BIEN QUE ...

LAISSEZ, MAÎTRE GRAMBLOT.

FASTOCHE!

HOP!

13

NOM D'UN DONJON ASSIÉGÉ !

SOYEZ PRUDENT, ELLE EST AFFÛTÉE COMME UN RASOIR !

BIEN, BIEN...

NE REFAIS JAMAIS ÇA, LANFEUST, NOUS AURIONS LA GUILDE DES FORGERONS SUR LE DOS POUR CONCURRENCE DÉLOYALE !

VRAIMENT, VOUS NE VOULEZ PAS NOUS LA LAISSER ?

ME SÉPARER DE L'ÉPÉE DES OR-AZUR ? PAS QUESTION !

JUSTE CE MORCEAU D'IVOIRE, MAÎTRE GRAMBLOT VOUS FORGERA UN AUTRE POMMEAU !

N'INSISTEZ PAS !

JE VOUS LAISSE À VOS TOURS ET JONGLERIES, J'AI UNE GUERRE À FAIRE.

CHEVALIER ! NOUS N'AVONS POINT ÉVOQUÉ MES HONORAIRES...

JE L'IMMOBILISE ET NOUS RÉCUPÉRONS L'ÉPÉE ?

CE SERAIT MALHONNÊTE.

NOUS SAVONS MAINTENANT OÙ SE TROUVE UN FRAGMENT DE L'IVOIRE DU MAGOHAMOTH. SI LES ÉRUDITS DU CONSERVATOIRE DÉSIRENT L'EXAMINER, ILS SE RENDRONT DANS LES BARONNIES, AU CASTEL OR AZUR.

LANFEUST, PRÉVIENS TES PARENTS, ET PRÉPARE TON PAQUETAGE.

NOUS PARTONS POUR ECKMÜL DEMAIN AU LEVER DU SOLEIL.

C'EST VRAIMENT NÉCESSAIRE ?

INDISPENSABLE. LES ÉRUDITS DU CONSERVATOIRE DOIVENT ÊTRE INFORMÉS DE TOUT CECI.

JE VOUDRAIS RETROUVER CE QUE MES GRIMOIRES DISENT SUR LE MAGOHAMOTH...

MAIS QUI MAINTIENDRA LA MAGIE ICI SI VOUS PARTEZ ?

VOOU ! VOOU VOOU ! VOOU !

ALMISUIFRE A ÉTÉ FORMÉ POUR ME REMPLACER EN CAS DE BESOIN.

JE VIENS AVEC TOI, PÈRE, TU ES TROP OUBLIEUX DES CONTINGENCES MATÉRIELLES POUR QUE JE TE LAISSE ALLER SEUL.

MFFT !

JE NE SUIS PAS SEUL, IL Y A LANFEUST.

MAIS C'EST ENCORE UN ENFANT !

VOUS AVEZ LE MÊME ÂGE, ME SEMBLE T-IL ?

OH !

C'EST TRÈS DIFFÉRENT. JE SUIS UNE FILLE, DONC BEAUCOUP PLUS MÛRE !

GNA GNA GNA ! GNA GNA GNA ! BÊCHEUSE !

ET PUIS, PÈRE, MON POUVOIR DE GUÉRISON PEUT ÊTRE UTILE, EN VOYAGE.

C'EST BON, C'IAN, TU VIENDRAS.

BON, SI NOUS PARTONS À L'AUBE, JE VAIS PEUT ÊTRE ALLER...

CHIC ALORS !

ON VA BIEN S'AMUSER PENDANT CE VOYAGE !

C'IXI, MA FILLE, TU NE VAS PAS TOI AUSSI...

CE N'EST PAS TRÈS RAISONNABLE !

OH ! S'IL TE PLAIT, MON PETIT PAPA !

BON, JE SUPPOSE QU'IL N'Y A PAS MOYEN DE FAIRE AUTREMENT...

OH ! MERCI PAPA !

BRCZ

GNNWN...

?

ET VOILA ! UNE ENFANT DE PLUS SUR QUI JE DEVRAI VEILLER !

JE VAIS NOUS EMBALLER QUELQUES AFFAIRES.

PAPA, TU AS LAISSÉ TOMBER TON MONOCLE !

JE TE LE RAMASSE.

GRLKZ...

HI ! HI !

LANFEUST ! TOUT VA BIEN ?

MMHHH....

EUH, OUI NICOLÈDE.

SOIT PRÊT DEMAIN AU LEVER DU SOLEIL. NOUS PARTIRONS SUR MON PÉTAURE.

LE PÉTAURE EST DE LOIN LE MOYEN DE TRANSPORT LE PLUS UTILISÉ SUR CETTE PARTIE DE TROY. SA MASSE IMPOSANTE, SON TRAIN RÉGULIER ET SA CAPACITÉ DE CHARGE EN FONT L'ALLIÉ NATUREL DU VOYAGEUR.

ET SOUS LES PORTIQUES-EU
BRILLANT DE MILLE FEUX-EU
J'IRAI MAJESTUEUX-EU
AU SON DES CANTIQUES-EU

UN INCONVÉNIENT CEPENDANT : LE PÉTAURE N'ACCEPTE D'AVANCER QUE SI SON CONDUCTEUR CHANTE AVEC ALLÉGRESSE.

LE VOYAGEUR PRUDENT SE MUNIT DONC TOUJOURS DE SIROPS POUR LA GORGE : UNE EXTINCTION DE VOIX POUVANT COÛTER PLUSIEURS JOURS D'IMMOBILISATION.

POURQUOI, Ô MA DOUCE-EU,
AS-TU LAISSÉ CET ARBRE-EU ?
POURQUOI, Ô MA MIE-EU,
AS-TU DONC PRIS MON SABRE-EU ?

LE PÉTAURE N'AYANT PAS L'OREILLE MUSICALE, IL LUI IMPORTE PEU QUE LE CHANT SOIT JUSTE OU FAUX. ON RELÈVE D'AILLEURS DE NOMBREUX CAS DE CONDUCTEURS ÉTRANGLÉS PAR D'AUTRES PASSAGERS, À BOUT DE NERFS.

POURQUOI MON AMOUR-EU...

AS-TU BRISÉ MON CŒUR-EU!...

GNFFF!...

POURQUOI TOI SI JOLIE - EU!...

AS-TU FUI LE BONHEUR-REU!...

ASSEZ!!

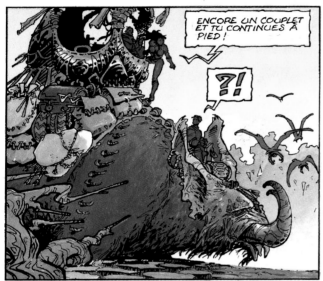

ENCORE UN COUPLET ET TU CONTINUES À PIED!

?!!

LAISSE MOI LA PLACE, LANFEUST!

DIS DONC, JE NE CHANTE PAS PLUS MAL QUE N'IMPORTE QUI!

JUSTEMENT, JE NE SUPPORTE PAS N'IMPORTE QUI!!!

DU CALME MES ENFANTS! CIXI CHANTE SI TU VEUX, MAIS NE CRIE PAS!

QUELLE PESTE!

IL NE FAUT PAS LUI EN VOULOIR, ELLE EST SI SENSIBLE!...

YA!!

CLAC!

MANON LA GUEUZE NE PORTE JAMAIS D'CULOTTE.

18

CHEVALIER SORT TON DARD ET DÉCALOTTE...

ET BOURRE LA RIBAUDE FOURRE Z'Y TA RAPIÈRE, ET BOURRE LA RIBAUDE FOURRE Z'Y PAR **CIXI!**

QUI T'A APPRIS CETTE CHANSON?!

BROAF! TOUT LE MONDE LA CONNAIT!

MFFT!

TROUVES-EN UNE AUTRE ET AMÈNE NOUS JUSQU'À CE RUISSEAU, JE CROIS QUE NOUS AVONS TOUS BESOIN D'UNE PETITE PAUSE.

LES PT'ITES FLEURS, DANS LES CHAMPS, POUSSENT POUSSENT, EN GRANDISSANT! GNA GNA GNA GNA!

FLOT FLOT

C'EST LA PREMIÈRE FOIS QUE JE M'ÉLOIGNE AUTANT DU VILLAGE!

HÉ! HÉ! NOUS NE SOMMES QU'AU DÉBUT D'UN LONG VOYAGE, LANFEUST!

TIENS! QU'EST CE QUE...

QUELLE HORREUR!!!

19

C'LAN! QUE SE PASSE-T-IL?

LÀ!

UN LOSS BLEU! DE QUOI EST-IL MORT?

LE RUISSEAU EST PEUT ÊTRE EMPOISONNÉ. NOUS DEVRIONS PRENDRE GARDE.

AÏE! JE CRAINS QUE CE NE SOIT PIRE.

JE NE CONNAIS QU'UN SEUL ÊTRE QUI ARRACHE DE PAREILS QUARTIERS DE VIANDE À SA PROIE VIVANTE.

LA MARQUE DES DENTS EST CARACTÉRISTIQUE.

NOUS SOMMES SUR LE TERRITOIRE D'UN TROLL!!

D'UN TROLL? ENFER ABRUPT!

IL VA FALLOIR ÊTRE SUR NOS GARDES...

... C'EST LA PLUS CRUELLE ET LA PLUS DANGEREUSE DES CRÉATURES.

BLOP BLOUB BLOP

ON DIT QUE CES ÊTRES SONT FORT MEMBRÉS, ET RAFFOLENT DES PUCELLES.

NICOLEDE!

LES TROLLS SOULÈVENT-ILS AUTANT DE POUSSIÈRE?

JE NE PENSE PAS.

TRÈS RAPIDES SUR LEURS SIX PATTES, LES VORACES FORMENT DES BANDES SANS CESSE EN MOUVEMENT. AUX PREMIERS RANGS, LES ADULTES SE RECONNAISSENT À LEURS REDOUTABLES PINCES TRANCHANTES. ILS DÉCHIQUETTENT VÉGÉTAUX ET ANIMAUX QUE DÉVORENT LES JEUNES. LE VORACE ADULTE NE SE NOURRIT PLUS, IL FINIT PAR MOURIR DE FATIGUE ET D'INANITION, ET SON CADAVRE SERT DE PÂTURE AU GROUPE.

LES PLUS GROS VORACES ATTEIGNENT LA TAILLE D'UN BRAS D'OBÈSE.

DES VORACES! DÉPÊCHEZ-VOUS! NOUS DEVONS MONTER À L'ABRI DANS LES ROCHERS!

POURQUOI? NOTRE PÉTAURE PEUT PIÉTINER CES BESTIOLES

ET SE FAIRE DÉVORER LES PATTES!

NOUS DEVONS FAIRE TRÈS VITE! CHANTEZ TOUS AVEC MOI!

OYEZ LA BOURRÉE DU JOYEUX LABOUREUR QUI TOUJOURS SE MIT À L'HEURE DU SEMEUR.

ÉCOUTE MON ÔDE LABOURE TON CHAMP.

ACCÉLÉREZ LE TEMPO!

ET BOURRE LA RIBAUDE, UN COUP PAR DEVANT!

ENCORE QUELQUES TOISES ET NOUS SOMMES HORS D'ATTEINTE!

LES VORACES! ILS SONT LÀ!

LANFEUST! TON POUVOIR ABSOLU!

RONJ RONJ RONJ RONJ RONJ

CONCENTRE-TOI! REPOUSSE-LES!

JE !!!

.. GNNNN..

GRRIIIIIIIIKK!!

NICOLÈDE! ÇA NE MARCHE PLUS!

RONJ RONJ RONJ RONJ RONJ

SBRÖF

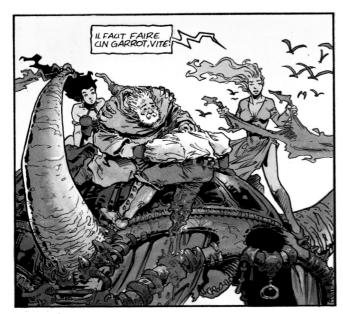

IL FAUT FAIRE UN GARROT, VITE!

QUELLE HORREUR!

C'IAN! TU PEUX ME SOIGNER, DIS?

MON POUVOIR DE GUÉRISON N'AGIT QUE LA NUIT. TU DOIS TENIR JUSQUE LÀ, LANFEUST.

LORSQUE S'ÉLOIGNENT LES VORACES, LEUR SILLAGE FORME UNE BANDE ARIDE ET DÉSOLÉE OÙ LA VÉGÉTATION NE REPOUSSE QU'À LA SAISON SUIVANTE.

ON DIRAIT QUE C'EST FINI!

QUEL GÂCHIS!

TROT

TROT TROT

COMMENT TE SENS-TU?

PAS TERRIBLE; J'AI PERDU UNE JAMBE ET MES POUVOIRS.

SOIS COURAGEUX QUELQUES HEURES, C'IAN EST TRÈS EFFICACE.

Glóup Glóup

ÉLOIGNONS-NOUS D'ICI, SI UN TROLL RÔDE, IL PEUT ÊTRE DANGEREUX DE RESTER À DÉCOUVERT.

22

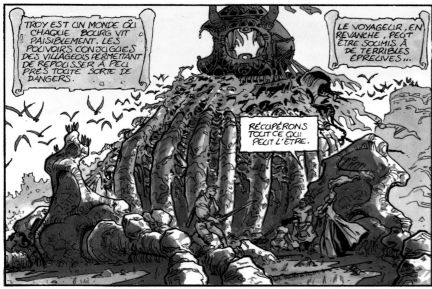

TROY EST UN MONDE OÙ CHAQUE BOURG VIT PAISIBLEMENT. LES POUVOIRS CONJUGUÉS DES VILLAGEOIS PERMETTANT DE REPOUSSER À PEU PRÈS TOUTE SORTE DE DANGERS.

LE VOYAGEUR, EN REVANCHE, PEUT ÊTRE SOUMIS À DE TERRIBLES ÉPREUVES...

RÉCUPÉRONS TOUT CE QUI PEUT L'ÊTRE.

CE QUI BIEN SÛR A DE FÂCHEUSES CONSÉQUENCES SUR LE PRIX DES MARCHANDISES D'IMPORTATIONS.

C'EST DOULOUREUX.

CE QUI M'INQUIÈTE LE PLUS, C'EST LA PERTE DE TES POUVOIRS.

ÇA ! JE NE LES AI PAS GARDÉS LONGTEMPS !

TU PEUX TOUJOURS FONDRE LES MÉTAUX ?

BIN....

... ON DIRAIT.

ALORS TOUT N'EST PAS PERDU ! EN ROUTE POUR ECKMÜL !

NE SERAIT-IL PAS PLUS RAISONNABLE DE RENTRER À GLININ ?

C'EST VRAI, JE N'AI PLUS RIEN À MONTRER AUX SAGES !

LE PÉTAURE EST MORT, ET JE N'AI PAS ENVIE DE FAIRE LA ROUTE JUSQU'À ECKMÜL À PIED !

NOUS ALLONS TRAVERSER CES MONTAGNES. SUR L'AUTRE VERSANT SE TROUVE LE PORT DE SACIARE, OÙ NOUS TROUVERONS À NOUS EMBARQUER POUR ECKMÜL.

CROTTE !

LANFEUST, TON POUVOIR SEMBLE PASSAGER, MAIS LE FAIT DEMEURE D'UNE GRANDE IMPORTANCE. TU DOIS COMPARAÎTRE DEVANT LES ÉRUDITS DU CONSERVATOIRE.

23

JE PENSE QUE LE POUVOIR ABSOLU NE SE MANIFESTE EN TOI QU'EN PRÉSENCE DE L'IVOIRE DU MAGOHAMOTH.

ALORS NOUS N'AURIONS PAS DÛ LE LAISSER À CE CHEVALIER !!!

...OH !...

PÈRE, IL FAUT S'ARRÊTER, LANFEUST NE PEUT PLUS AVANCER.

BIEN !!! J'ESPÈRE QUE NOUS SOMMES EN SÉCURITÉ.

HUK ! HUK !

TU VAS POUVOIR LUI RENDRE SA JAMBE ?

LE CRÉPUSCULE APPROCHE, L'ÉNERGIE AFFLUE EN MOI.

LA PLAIE SEMBLE SAINE.

TU AS MAL ?

BEIN !!! UN PEU, OUI !!!

BIENTÔT TU NE SENTIRAS PLUS RIEN.

C'EST PRESQUE FINI !!!

MANON LA GUEUSE !!!

LÀ !!

MA FILLE ! QU'EST CE QUE !!!

BRAAAAAAAA

UN TROLL !

IL VA ATTAQUER ?

S'IL TROUVE LE COURAGE DE TRAVERSER L'EAU !!!

... IL EN A HORREUR

POURQUOI ?

ÇA POURRAIT LE LAVER.

SI NOUS POUVIONS LE RETOURNER !!!

LE RETOURNER ?!?

JE NE SAVAIS PAS QUE LES TROLLS ÉTAIENT MOINS DANGEREUX DE DOS !

CE N'EST PAS EXACTEMENT ÇA.

BRAAAA

27

SOUS L'INFLUENCE DE CERTAINS ENCHANTEMENTS LES TROLLS PEUVENT ÊTRE D'AGRÉABLES CRÉATURES ET DE GAIS COMPAGNONS.

VOUS CONNAISSEZ CES ENCHANTEMENTS?

BIEN SÛR, MAIS POUR LES RÉALISER, IL ME FAUT UN SUJET DISPONIBLE DURANT DE LONGS INSTANTS!

JE VAIS VOUS FOURNIR ÇA !...

HÉ TOI!

OUI TOI !...

...GROS TAS PUANT!

ALORS LOPETTE, ON A PEUR DE L'EAU ?!

DEUX BELLES PUCELLES ET TU CRAINS UNE FLAQUE!

T'ES PAS UN HOMME... HEU !... UN TROLL!

PARTONS, CE TROLL EST UN IMPUISSANT!

GROOOO

GROOOAAAOOOORR

SPLACH SPLOCH SPLOTCH

QU'EST-CE QUE TU AS FAIT? TU ES FOU!!

LANFEUST! IL ATTAQUE!

JE TE L'ARRÊTE, PAPA.

HÉ !

FSHHH...

PLAOUF

LANFEUST, JE TE L'AI EXPLIQUÉ, LORSQUE L'ON A LA CHANCE DE CAPTURER UN TROLL VIVANT IL FAUT L'ENCHANTER.

LA PESTE !

UNE FOIS À NOTRE SERVICE, IL POURRA CONSIDÉRABLEMENT FACILITER NOTRE VOYAGE

BEIN... JE VOUS LAISSE, MAÎTRE NICOLÈDE. J'AI UN PEU FROID.

SCRITCH SCRITCH

C'EST HORRIPILANT CES CHEVEUX QUI SE DRESSENT À CHAQUE FOIS QUE NOUS UTILISONS NOTRE POUVOIR.

IL SUFFIT DE FAIRE ATTENTION.

DÉSHABILLE-TOI, ET SÈCHE-TOI PRÈS DU FEU.

BRR...

ATTENDS !...

...JE VAIS T'AIDER.

JE PENSE QU'IL Y ARRIVERA TOUT SEUL.

EUH !... OUI, C'IAN.

PFFT ! J'ESPÈRE QUE LE TROLL ENCHANTÉ SERA PLUS RIGOLO QUE VOUS.

RIGOLO, MOI ?!?

JE VOUS PRÉSENTE HÉBUS, LE TROLL.

JE SUIS ENCHANTÉ

EUH.... NOUS DE MÊME. VOULEZ-VOUS PARTAGER NOTRE SOUPER.

VOLONTIERS, MERCI.

À VRAI DIRE JE MEURS DE FAIM.

GLOUP! SLURP!...

BOUF! MIAM

PERMETTEZ-MOI À MON TOUR, D'ALLER VOUS CHERCHER UN PETIT QUELQUECHOSE À GRIGNOTER ...

...JE REVIENS.

PÈRE, ES-TU SÛR QUE NOUS POUVONS LUI FAIRE CONFIANCE?

ÉH BIEN! QUEL CHANGEMENT!

EN THÉORIE, L'ENCHANTEMENT DURE PLUSIEURS MOIS. MAIS ON DIT QUE SOUS LE COUP D'UNE VINE ÉMOTION, LE PLUS PARFAIT DES SERVITEURS PEUT REDEVENIR UNE REDOUTABLE BÊTE FÉROCE.

J'AI TROUVÉ ÇA. VOUS LE PRÉFÉREZ CUIT OU CRU?

ÉH BIEN.... PLUTÔT CUIT.

PARFAIT. JE VOUS LE DÉPÈCE.

GARDEZ-MOI UN BEAU MORCEAU DE CUIR. JE DOIS CONFECTIONNER UNE NOUVELLE BOTTE À LANFEUST.

TOMB!

COMME JE LE PENSAIS, J'ACLARE N'EST QU'À QUELQUES JOURS DE MARCHE À TRAVERS LES MONTS SOMBRES.

POURQUOI NE PAS AVOIR TOUT DE SUITE CHOISI CET ITINÉRAIRE ?

JE PRÉFÉRAIS REDESCENDRE LES PLAINES À DOS DE PÉTACRE.

CES MONTAGNES SONT PEU SÛRES. ELLES ABRITENT DE REDOUTABLES PRÉDATEURS, ET SONT INFESTÉES DE CANAILLES.

DES BANDITS ?

OUI, DES SANS-MAGIE QUI ONT PRÉFÉRÉ S'EXILER DANS LES FORÊTS, ET VIVRE DE RAPINES.

MAIS AVEC UN GARDE DU CORPS COMME HÉBUS, LES CHOSES SONT DIFFÉRENTES ...

VOUS ÊTES MARIÉ, HÉBUS ?

HÉLAS ! J'AI CONNU UNE FOUGUEUSE COMPAGNE, MAIS JE L'AI DÉVORÉE UN JOUR DE COLÈRE.

M'OM !

VOUS AVEZ FAIT ÇA ?

VOUS SAVEZ DOUCE CIXI, SANS LES ENCHANTEMENTS DE VOTRE PÈRE, JE VOUS CROQUERAIS COMME UN BISCUIT APÉRITIF.

QUELQUES JOURS PLUS TARD ...

J'EN AI ASSEZ DE MARCHER !

NICOLÈDE, VOUS PRÉTENDIEZ CES VALLÉES INFESTÉES DE COUPE-JARRETS ?

C'EST CE QUE RAPPORTENT LES CARTES. JE SUIS SURPRIS QUE NOUS N'EN AYONS CROISÉ AUCUN JUSQU'ICI.

NOUS EN AVONS CROISÉ DEUX CENT SOIXANTE TREIZE, DONT QUATRE NAINS ET UN MANCHOT...

... SANS PARLER DES TRACES GROSSIÈRES LAISSÉES PAR UN CHEVALIER DES BARONNIES.

PARDON ?

LA RACAILLE N'A PAS CESSÉ DE NOUS OBSERVER. MAIS ILS CONSIDÈRENT QUE S'ATTAQUER À UN TROLL PORTE MALHEUR. HUK! HUK! HUK!

TCHAK TCHAK TCHAK

ATTENTION!!

GOTTFERDOM! MES AMIS! JE SUIS TOUCHÉ!

LES BRIGANDS!

AAAAHHHH! JE MEURS!!

TOMB!

COUIC!

RAHAHAA!! ON A EU LE TROLL!

METTEZ-VOUS À L'ABRI.

OH! OH! JOLIS BRINS DE FILLES.

OUAIS, ÇA SE VIOLE SANS FAIM, ÇA!

IL FAUDRA D'ABORD ME PASSER SUR LE CORPS!

ÇA PEUT SE FAIRE AUSSI, MON MIGNON!!

33

YAHAA!!

MAÎTRISEZ-MOI CE JEUNE COQ!

FSHH

ARRIÈRE MARAUDS!

MES MAINS!

KLING KLANG TRANCH! HARRGL...

HAYAA!!

MON LANFEUST...

JE L'ABATS?

LAISSE, J'AI ENVIE DE ME DÉROUILLER LES ARTICULATIONS.

ÇA Y EST? ILS SONT TOUS LÀ?

ALORS À MOI DE JOUER!!!

HUIK! HUIK! HUIK!

LE TROLL!

32

HCIK! HCIK! TUNE TE DÉFENDS PAS MAL...

...POUR UN HOMME, BIEN SÛR!

TAP!

HE!!

MONSTRE RÉPUGNANT! POURQUOI AVOIR JOUÉ CETTE COMÉDIE?

OUCH!

SI JE N'AVAIS PAS FAIT SEMBLANT D'ÊTRE MORT, ILS NOUS AURAIENT CRIBLÉS DE CENTAINE DE FLÈCHES JUSQU'À CE QUE PLUS RIEN NE BOUGE!

VOUS POURRIEZ M'ENLEVER CES TROIS CURE-DENTS? ÇA ME GRATTE.

HÉBUS A RAISON, MAIS NOUS NE DEVRIONS PAS NOUS ATTARDER ICI.

NOUS SERONS BIENTÔT AU PORT DE JACLARE. SI NOUS AVONS LA CHANCE DE TROUVER UN CABOTEUR RAPIDEMENT, NOUS REJOINDRONS ECKMÜL EN MOINS DE TROIS SEMAINES.

BOUF BOUF

HIIIISSE!

33

QUELQUES HEURES PLUS TARD ..

LÀ BAS! UN GRAND LAC!

NON, LA MER. JACLARE EST À NOS PIEDS!

LÀ! EN VOILÀ ENCORE UN GROUPE.

YAHOU! CE SOIR NOUS DORMIRONS DANS UN VRAI LIT.

ON VA LES COINCER!!

QU'EST CE QUE C'EST QUE ÇA?

DES DRAGONS!

DU CALME, ILS NE SONT PAS SAUVAGES, SINON ILS NOUS AURAIENT DÉJÀ ATTAQUÉS.

FLAP FLAP

HALTE!

D'AUTRES BRIGANDS?

JE NE CROIS PAS, JE N'EN AI JAMAIS VU À DOS DE DRAGON

LES MARAUDEURS NE SONT PAS LES BIENVENUS SUR LE TERRITOIRE DE JACLARE.

REBROUSSEZ VOTRE CHEMIN, NOS DRAGONS ONT FAIM!

FSSS

QUE SE PASSE T-IL? LES HABITANTS DE CETTE CONTRÉE NE SERAIENT-ILS PLUS HONNÊTES, BIENVEILLANTS ET RESPECTUEUX DE LA CHARTE D'ECKMÜL?

SSSSSS

34

LA CHARTE NE DIT RIEN SUR CE GENRE DE MONSTRE !

MONSIEUR, JE SAIS ME TENIR EN SOCIÉTÉ.

N'AYEZ CRAINTE, CE TROLL EST ENCHANTÉ.

ENCHANTÉ ?!! MAIS ALORS...

VOUS ÊTES UN SAGE D'ECKMÜL !

YÉEPEE ! LE GRAND ÉVÉNEMENT !

MAIS C'EST DONC VRAI...

UN SAGE ! LA MAGIE REMARCHE !!

MONTEZ VITE, NOUS DEVONS ANNONCER LA GRANDE NOUVELLE.

SI QUELQU'UN VOULAIT BIEN M'EXPLIQUER...

GLOPS

YÉPÉE !

NOTRE SAGE ET SON ASSISTANT ONT ÉTÉ DÉVORÉS LE MOIS DERNIER PAR UN TROLL.

UN PEU COMME VOTRE AMI, MAIS L'AUTRE PARLAIT MOINS POLIMENT.

DEPUIS NOUS N'AVIONS PLUS DE MAGIE. NOUS AVIONS DEMANDÉ UN REMPLAÇANT, MAIS NOUS DÉSESPÉRIONS DE SON ARRIVÉE.

MAIS VOUS VOUS MÉPRENEZ ! JE NE SUIS QU'UN PASS...

CETTE NUIT SERA UNE NUIT DE FÊTE EN VOTRE HONNEUR !

NE DITES RIEN POUR LE MOMENT. NOUS NOUS ESQUIVERONS DÈS QUE POSSIBLE.

DIS-MOI, HÉBUS, CE N'EST PAS TOI LE TROLL QUI...

HO ! DE TOUTE FAÇON LE VIEUX ÉTAIT DÉJÀ TRÈS MALADE ; IL AVAIT UN GOÛT ATROCE DE BILE ET DE FIEL.

35

SI LE PORT DE JACLARE SERT SOUVENT D'ÉTAPE AUX CABOTEURS MARCHANDS QUI MONTENT ET DESCENDENT LA CÔTE SOUARDE, LES VILLAGEOIS SONT POUR LA PLUPART DE SIMPLES PÊCHEURS.

COMME TOUS LES MARINS DU MONDE, ILS SAVENT FAIRE LA FÊTE JUSQU'AUX PREMIERS RAYONS DU SOLEIL.

EN TANT QU'ÉCHEVIN DE JACLARE, JE SUIS HONORÉ D'EMBRASSER NOTRE NOUVEAU SAGE...

VOUS ÊTES NOTRE SAUVEUR.

JE... MBRFFF...

POURQUOI SEMBLIEZ-VOUS SI INQUIETS ?

LES BRIGANDS DES MONTAGNES ONT APPRIS LA MORT DE NOTRE SAGE ET DE SON ASSISTANT.

DEPUIS, ILS SE REGROUPENT À LA LISIÈRE DE LA FORÊT POUR ATTAQUER LE VILLAGE. NOS DEUX DRAGONS LES TIENNENT À PEINE EN RESPECT.

SANS MAGIE NOUS NE POUVIONS PLUS NOUS DÉFENDRE.

QUE LE PLUS GALANT REMPLISSE À NOUVEAU MON VERRE.

ÇA FAIT PLAISIR DE VOIR ARRIVER UNE JOLIE FILLE COMME TOI ICI.

VOUS VENEZ D'ECKMÜL ?

ON EN VIENT PAS, ON Y VA !

COMMENT ÇA ? VOUS ÊTES VENUS REMPLACER NOTRE SAGE, NON ?

PFFFRRRRTTT ! TU CROIS QU'ON VA RESTER DANS CE COIN MINABLE AVEC DES BOUSEUX COMME VOUS ?!

HIC!

JE CROIS QUE MA SŒUR A ASSEZ BU !

JE VAIS LA CHERCHER.

39

J'AIME BIEN !!!

!!! RÉGLER MES PETITES AFFAIRES !!!

!!! TOUT SEUL !

KOGN !

BAFF !

KOUDBOUL !

C'EST BIEN MON GARÇON, PARFAIT !

LÂCHE-MOI, MONSTRE !

HOP !

BOUHOUU... VEUT PAS M'LÂCHER !

MAIS SI ! MAIS SI !

TAP! TAP!

JE VOIS QUE VOTRE ASSISTANT S'EST TROUVÉ DES PETITS CAMARADES DE JEUX.

ON DIRAIT.

LANFEUST, TU ES CERTAINEMENT UN GARÇON TRÈS COURAGEUX, MAIS J'AIMERAIS QUE TU NE TE FASSES PAS TROP REMARQUER, TOUT DE MÊME.

VOUS AVEZ RAISON, MAÎTRE NICOLÈDE.

AVANT LA BAGARRE, J'AI DISCUTÉ AVEC UN MARCHAND QUI REDESCEND VERS ECKMÜL. IL APPAREILLE DANS QUELQUES HEURES...

LA NUIT S'ACHÈVE. LES VILLAGEOIS VONT CUVER LEUR VIN. PROFITONS-EN POUR MONTER À BORD DISCRÈTEMENT.

ALLONS OÙ TU VEUX, POURVU QU'ON DORME, JE SUIS EXTÉNUÉE !

EST-IL CORRECT D'ABANDONNER CES PAUVRES GENS ?

RONFL !

DITES ! ON RACONTE QUE VOTRE FILLE AURAIT TENU D'ÉTRANGES PROPOS...

AH! SAPRISTI!

RAZ...

ELLE AURAIT PRÉTENDU QUE VOUS COMPTIEZ PARTIR D'ICI.

ABFOLUMENT!

RONFL!

ELLE A DIT ÇA?...

ELLE A BEAUCOUP BU, VOUS SAVEZ...

TRÈS BIEN, JE NE SUIS PAS CELUI QUE VOUS ATTENDIEZ. J'AI TENTÉ DE VOUS LE DIRE, MAIS VOUS NE M'AVEZ PAS ÉCOUTÉ.

JE DOIS ME RENDRE À ECKMÜL DANS LES PLUS BREFS DÉLAIS.

JE SUIS DÉSOLÉ, MAIS VOUS DEMEURIEZ UN SAGE D'ECKMÜL, ET NOUS NE POUVONS PAS PRENDRE LE RISQUE DE RESTER SANS MAGIE. JE VOUS DEMANDE DE NE PAS QUITTER LE VILLAGE.

PLUSIEURS HOMMES VONT VEILLER À VOTRE SÉCURITÉ.

NOUS SOMMES VOS PRISONNIERS ?

NOS INVITÉS !

CES BRAVES VILLAGEOIS VONT VOUS CONDUIRE À L'AUBERGE.

JE LEUR FRACASSE LE CRÂNE ?

RONFL...

NON ! CE SERAIT UN CRIME. CES GENS DÉFENDENT LEURS TERRES ET LEUR FAMILLE !

ALERTE !

ALERTE !

?

QUE SE PASSE T-IL ?

LES BRIGANDS ! ILS ATTAQUENT!!!

39

41

AUX ARMES! LES BRIGANDS!

VITE! EN L'AIR, DRAGON!

ATTENDEZ! NE ME VISEZ POINT!

TROT TROT

MANANTS, PROTÉGEZ MOI! JE SUIS POURSUIVI PAR DES GUEUX ARMÉS ET FORT NOMBREUX.

LE CHEVALIER OR-AZUR!

QUE FAITES VOUS ICI?

NOUS NOUS CONNAISSONS?

AH! OUI! L'AMUSEUR DE LA FORGE DE GLININ...

FIGUREZ-VOUS MON BON, QUE JE PISTAIS UN COURRIER DU BARON DE PORULE LORSQUE JE ME SUIS ENGAGÉ DANS CETTE FORÊT QUI...

LES VOILÀ!

PILLAGE! BRÛLEZ TOUT! À NOUS LES FEMMES!

42

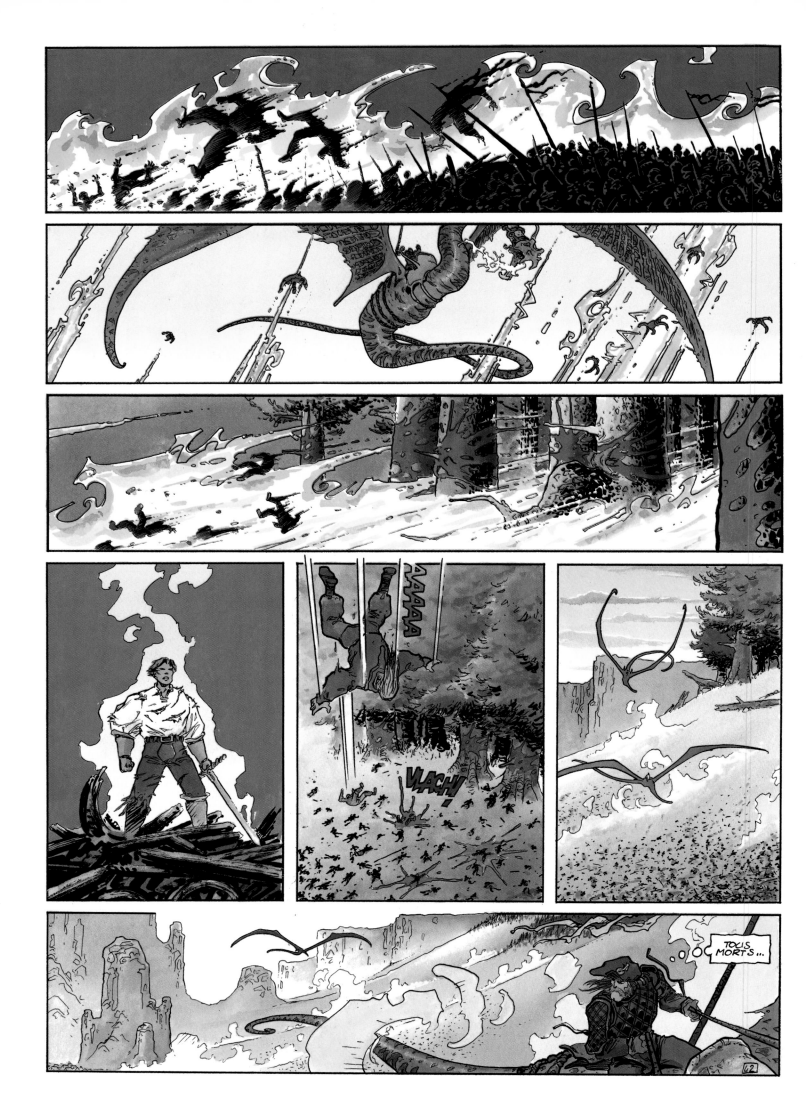

TOUS MORTS...

BEIN... VOILÀ.

C'EST BIEN MON PETIT.

C'EST INCROYABLE !

JE N'AI JAMAIS ENTENDU PARLER D'UN POUVOIR AUSSI PUISSANT !

JE PENSE QUE VOTRE PROBLÈME EST RÉSOLU.

NOUS EMBARQUERONS TOUT À L'HEURE POUR ECKMÜL. JE NE DOUTE PAS QUE VOTRE NOUVEAU SAGE ARRIVERA BIENTÔT.

IL SEMBLE QUE VOS CHARLATANERIES SOIENT PARFOIS DE QUELQUE EFFICACITÉ.

PUISQUE NOS ROUTES SE CROISENT DE NOUVEAU, J'AIMERAIS QUE VOUS NOUS ACCOMPAGNIEZ.

IL ME SEMBLE VOUS AVOIR DÉJÀ DIT QUE...

LES DÉSIRS DE MES AMIS NE SONT PAS CONTESTABLES.

GLL...

LES CAPITAINES DE CABOTEUR DE LA CÔTE SOUARDE SONT CAPABLES À FORCE DE MACHANDAGE, D'OBTENIR DES SOMMES ASTRONOMIQUES DES PASSAGERS CRÉDULES.

DANS TROIS SEMAINES NOUS SERONS À ECKMÜL.

RONFL !

MMMHH...

OUCH ! J'AI MAL À LA TÊTE !

LA FÊTE EST FINIE ?

OUI, ET TU AS MANQUÉ LE SPECTACLE !

MMMH... LANFEUST S'EST BATTU POUR MOI

CIXI, LANFEUST EST **MON** SOUPIRANT !

À QUOI SONGES-TU, LANFEUST ?

À CE POUVOIR SI ABSOLU...

43

45

JE ME DEMANDAIS... SI TOUT EST POSSIBLE, POURQUOI EST-CE QUE JE NE POURRAIS PAS NOUS TRANSPORTER INSTANTANÉMENT À ECKMUL ?

MA FOI, CELA VAUT LA PEINE D'ESSAYER.

ÉPÉE, S'IL VOUS PLAÎT !

CERTAINEMENT...

HOK! HOK!

ECKMUL...

ECKMUL... OO

ECKMUL.

LANFEUST, JE CROIS QUE TU AS BESOIN D'UN PEU D'EXPÉRIENCE AVANT DE MAÎTRISER PARFAITEMENT TON POUVOIR.

.FIN DE L'ÉPISODE.
SCÉNARIO : ARLESTON
DESSINS : TARQUIN
COULEURS : LENCOT

© **GÉRONIMO / ARLESTON / TARQUIN**
Soleil Productions
Le Grand Hôtel, Place de la Liberté
83000 Toulon - France

Bureaux parisiens
81, Bd Richard Lenoir - 75011 Paris - France

Conception et réalisation graphique : Studio Soleil
Direction artistique : Didier Gonord

Dépôt légal octobre 1994 - ISBN : 2 - 87764 - 257 - 7

Tous droits de traduction, d'adaptation
et de reproduction strictement réservés pour tous pays.

Photogravure : Quadriscan - 04 - France
Impression : Lesaffre - Tournai - Belgique

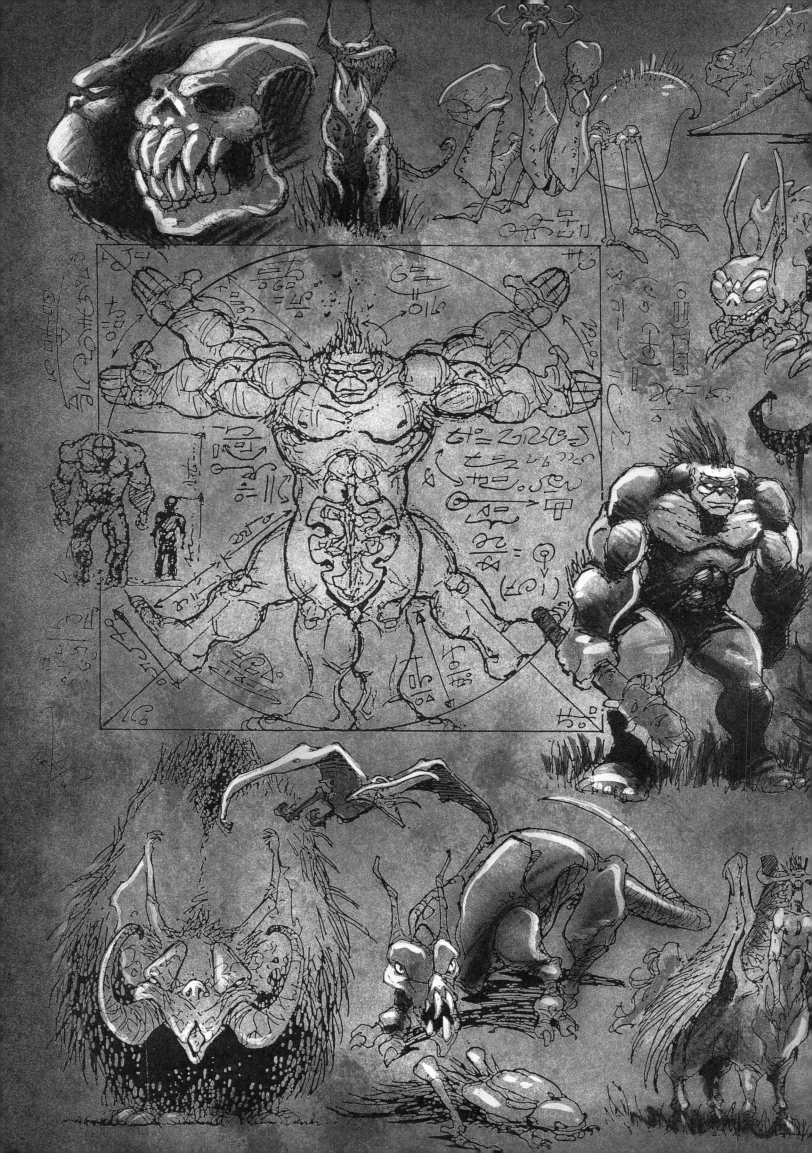